D1328134

Vol.1

BLACK PETROL

THE FIRST MOMENT OF LE SSERAFIM

THE FIRST MOMENT OF

LE SSERAFIM

LE SSERAFIM

The World Is My Oyster

LE SSERAFIM

Produced by 13
(SCORE(13), Megatone(13), HYBE)

Keyboard
SCORE(13)

Bass
Megatone(13)

Vocal Arrangement
SCORE(13), Megatone(13), Stella Jang

Digital Editing
SCORE(13), Megatone(13)

Recording Engineer
황민희 @ HYBE Studio

Mix Engineer
Geoff Swan @ The Nest (Assisted by Matt Cahill)

The world is imperfect
この世界に満足できない
세상은 나를 평가해

The world brings out my flaws
세상은 나를 바꾸려 하지

그렇다면

私は強くなりたい
I want to take up the challenge
나는 꺾이지 않아

I am fearless

FEARLESS

나는
—
私は

世界を手に入れたい
The world is my oyster

IM FEARLESS

I WANT TO TAKE UP THE CHALLENGE

LE SSERAFIM

TAKE THE WORLD BREAK IT DOWN

I

M

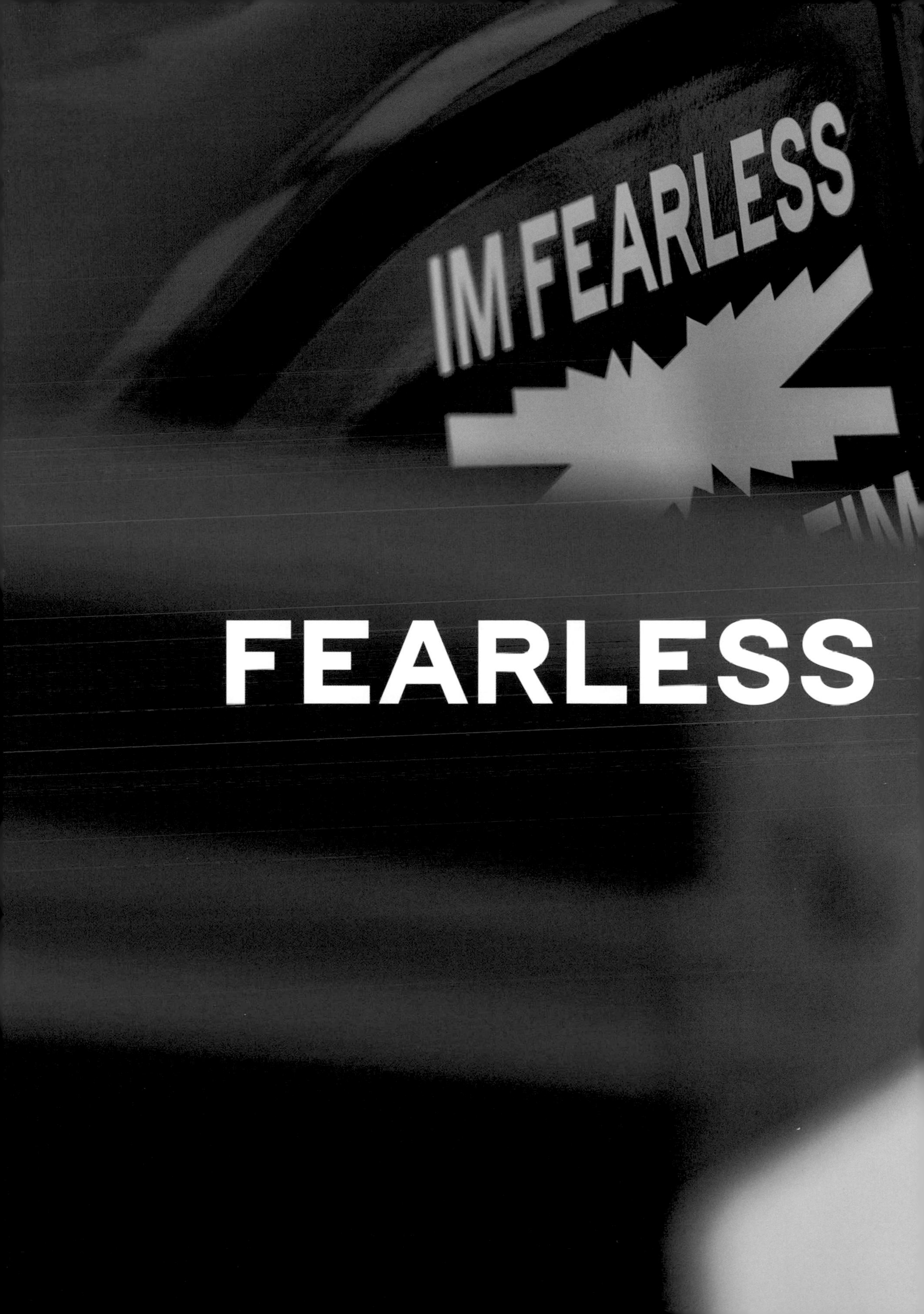

FEARLESS

LE SSERAFIM

LIMITLESS

ENDLESS

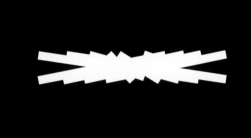

MIDAS PARTNERS
MIDAS MOTORSPORTS
MIDAS PARTNERS
INJE SPEEDIUM
ECORBIT
IM FEARLESS
IM FEARLESS
SAKURA

LE SSERAFIM

SAKURA

LE SSERAFIM

IM FEARLESS

IM FEARLESS

LE SSERAFIM

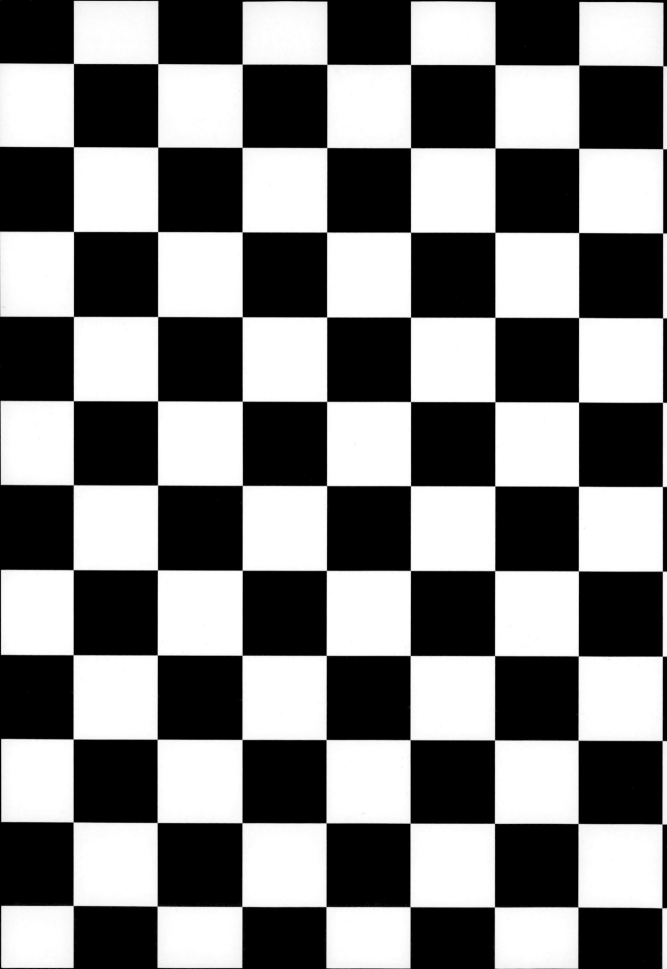

LE SSERAFIM

KAZUHA

IM FEARLESS

KAZUHA

LE SSERAFIM

IM FEARLESS

IM FEARLESS

I WANT TO TAKE UP THE CHALLENGE

TRACK 02

FEARLESS

Produced by 13
(SCORE(13), Megatone(13), Supreme Boi, BLVSH, JARO, Nikolay Mohr, "hitman" bang,
ONEYE, Josefin Glenmark, emmy kasai., Kyler Niko, PAU, Destiny Rogers)

Keyboard
SCORE(13)

Guitar
Megatone(13)

Bass
Megatone(13)

Drums
SCORE(13)

Background Vocals
BLVSH, PAU, Josefin Glenmark, 사운드킴

Vocals Arrangement
SCORE(13), Megatone(13)

Digital Editing
SCORE(13), Megatone(13), 우민정

Recording Engineer
황민희 @ HYBE Studio

Mix Engineer
Manny Marroquin @ Larrabee Studios (North Hollywood/CA)
Mix engineered by Chris Galland, Assisted by Ramiro Fernandez-Seoane

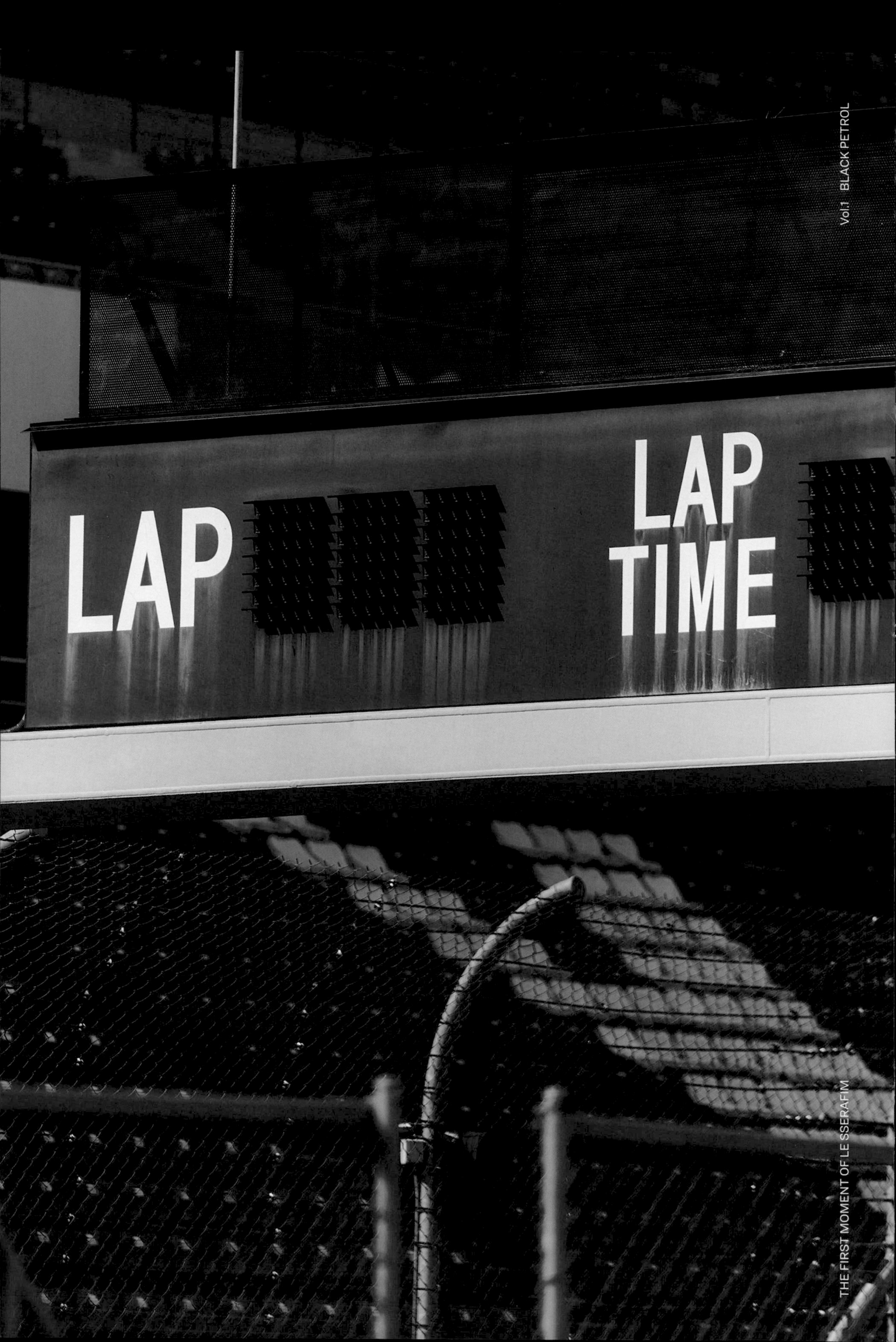
LAP
LAP
TIME

Bam ba ba ba ba bam
Ba ba ba ba bam ba ba ba ba bam
Bam ba ba ba ba bam
Ba ba ba ba bam ba ba ba ba bam

제일 높은 곳에 난 닿길 원해
느꼈어 내 answer
내 혈관 속에 날뛰는 new wave
내 거대한 passion

관심 없어 과거에
모두가 알고 있는 그 트러블에 huh
I'm fearless a new b**ch new crazy
올라가 next one

밟아줘 highway highway
멋진 결말에 닿게
내 흉짐도 나의 일부라면
겁이 난 없지 없지

What you lookin' at
What you what you lookin' at
What you lookin' at
What you what you lookin' at
What you lookin' at
What you what you lookin' at
Mmmm I'm fearless huh

You should get away
Get a get a get away
다치지 않게 다치 다치지 않게
You should get away
Get a get a get away
Mmmm I'm fearless huh

Bam ba ba ba ba bam
Ba ba ba ba bam ba ba ba ba bam
Bam ba ba ba ba bam
Ba ba ba ba bam ba ba ba ba bam

욕심을 숨기라는 네 말들은 이상해
겸손한 연기 같은 건 더 이상 안 해

가져와 forever win 내게 ay
가슴팍에 숫자 1 내게 ay
내 밑으로 조아린 세계 ay
Take the world break it down
Break you down down

밟아줘 highway highway
멋진 결말에 닿게
내 흉짐도 나의 일부라면
겁이 난 없지 없지

What you lookin' at
What you what you lookin' at
What you lookin' at
What you what you lookin' at
What you lookin' at
What you what you lookin' at
Mmmm I'm fearless huh

You should get away
Get a get a get away
다치지 않게 다치 다치지 않게
You should get away
Get a get a get away
Mmmm I'm fearless huh

Bam ba ba ba ba bam
Ba ba ba ba bam ba ba ba ba bam
Bam ba ba ba ba bam ba ba ba ba
Mmmm I'm fearless huh

더는 없어 패배
준비된 내 payback
Bring it 당장 내게
Mmmm I'm fearless huh

What you lookin' at
What you what you lookin' at
What you lookin' at
What you what you lookin' at
What you lookin' at
What you what you lookin' at
Mmmm I'm fearless huh

You should get away
Get a get a get away
다치지 않게 다치 다치지 않게
You should get away
Get a get a get away
Mmmm I'm fearless huh

LE SSERAFIM

HONG EUNCHAE

IM FEARLESS

HONG EUNCHAE

LE SSERAFIM

FEARLESS

Blue Flame

Produced by 13
(SCORE(13), Megatone(13), Jonna Hall, 가영(PNP), 김인형,
danke, 김채원, Ronnie Icon, Caroline Gustavsson, 허윤진)

Keyboard
SCORE(13)

Guitar
Megatone(13)

Bass
Megatone(13)

Drums
SCORE(13)

Background Vocal
Jonna Hall

Vocals Arrangement
SCORE(13), Megatone(13)

Digital Editing
SCORE(13), Megatone(13)

Recording Engineers
황민희 @ HYBE Studio, 이연수 @ HYBE Studio,
전부연 @ HYBE Studio

Mix Engineer
Josh Gudwin @ Henson Studios, Los Angeles, CA
(Assisted by Heidi Wang)

I'll like it I'll like it like that

I'm feeling something
난 홀린 듯이
아득히 어지러운 눈부심
안갯속으로 날 이끄는 힘
Even 불꽃보다 뜨거운 blue

제멋대로 춤을 추다 사라지고
I'll like it I'll like it like that
어지럽던 푸른빛은 화려해져

손 데일만큼 뜨겁도록 타올라 더
경계를 넘어 펼쳐지는 unknown 저 끝까지
무료했던 날이 제법 아름다워
타오른 이상 멈출 수는 없어 my desire

Will-O' The-Wisp babe
Oh baby It's blue flame
Will-O' The-Wisp babe
That that that is faction

Will-O' The-Wisp babe
Oh baby It's blue flame
Will-O' The-Wisp babe
That that that is faction

Unknown

TRACK 03
Blue Flame

손 데일만큼 뜨겁도록 타올라 더
경계를 넘어 펼쳐지는 unknown 저 끝까지
무료했던 날이 제법 아름다워
타오른 이상 멈출 수는 없어 my desire

Will-O' The-Wisp babe
Oh baby It's blue flame
Will-O' The-Wisp babe
That that that is faction

Will-O' The-Wisp babe
Oh baby It's blue flame
Will-O' The-Wisp babe
That that that is faction

무너지는 limit 기분은 so thrilling
깊이 나를 파고들어
처음 본 순간부터 이끌린
오묘한 색외 빛 속
기다린 듯 now I'm burning
눈부시게 shine

손 데일만큼 뜨겁도록 타올라 더
경계를 넘어 펼쳐지는 unknown 저 끝까지
무료했던 날이 제법 아름다워
타오른 이상 멈출 수는 없어 my desire

Will-O' The-Wisp babe
Oh baby It's blue flame
Will-O' The-Wisp babe
That that that is faction

Will-O' The-Wisp babe
Oh baby It's blue flame
Will-O' The-Wisp babe
That that that is faction

RAFIM
RLESS
RAFIM
RLESS
RAFIM
RLESS

LE SSERAFIM

KIM GARAM

IM FEARLESS

KIM GARAM

LE SSERAFIM

IM FEARLESS

I WANT TO TAKE UP THE CHALLENGE

LE SSERAFIM

TAKE THE WORLD BREAK IT DOWN

The Great Mermaid

Produced by 13
(SCORE(13), Megatone(13), "hitman" bang, Sunshine (Cazzi Opeia & Ellen Berg), Anne Judith Wik (Dsign Music),
Ronny Svendsen (Dsign Music), Nermin Harambasic (Dsign Music), danke, Kyler Niko, PAU, 이형석(PNP), 정진우)

Keyboard
SCORE(13)

Guitar
Megatone(13)

Bass
Megatone(13)

Drums
SCORE(13)

Background Vocals
김연서, PAU, Anne Judith Wik (Dsign Music)

Vocals Arrangement
SCORE(13), Megatone(13)

Digital Editing
SCORE(13), Megatone(13), 우민정

Recording Engineers
황민희 @ HYBE Studio, 이연수 @ HYBE Studio, 전부연 @ HYBE Studio

Mix Engineer
Geoff Swan @ The Nest (Assisted by Matt Cahill)

TRACK 04

TRACK 04
The Great Mermaid

Wish never cost 그게 뭐라고 해도
하날 위해선 하날 포기하라고
아름다운 목소리 일곱 빛 꼬리까지 전부
전부 나라서 I don't wanna sacrifice

I'm living my life 원하는 건 다 가질 거야
그래도 날 물거품으로 만들진 못해
Won't give up won't give up
포기하는 건 nothing
Don't mess with me 쉽다 싶었니?
I don't give you what you need yeah

I don't give a sh*t! No love no golden prince
그런 뒤틀린 사랑 나는 필요 없어 love story yo
태워버려 lock lock and load

I just want it all! 단 나의 style로
내게 맞춰진 사랑 희생 하나 없이 love story yo
Never give up! Lock lock and load

Nanana na nanana nanana na nanana
Nanana na nanana Dive into the ocean
Nanana na nanana nanana na nanana
Nanana na nanana Dive into the ocean

목소릴 버리라니 crazy 사라질 수 있다니 왜 이래
말이 말 같지가 않아 liar 마녀가 마녀 하면 듣지마
차라리 내게 내놔 ocean 세상을 내 바다로 덮쳐
제동 없이 커져가는 꿈 포기만 안 하면 결국엔 truth

I'm living my life 원하는 건 다 가질 거야
그래도 날 물거품으로 만들진 못해
Won't give up won't give up
포기하는 건 nothing
Don't mess with me 쉽다 싶었니?
I don't give you what you need yeah

I don't give a sh*t! No love no golden prince
그런 뒤틀린 사랑 나는 필요 없어 love story yo
태워버려 lock lock and load

I just want it all! 단 나의 style로
내게 맞춰진 사랑 희생 하나 없이 love story yo
Never give up! Lock lock and load

Nanana na nanana nanana na nanana
Nanana na nanana Dive into the ocean
Nanana na nanana nanana na nanana
Nanana na nanana Dive into the ocean

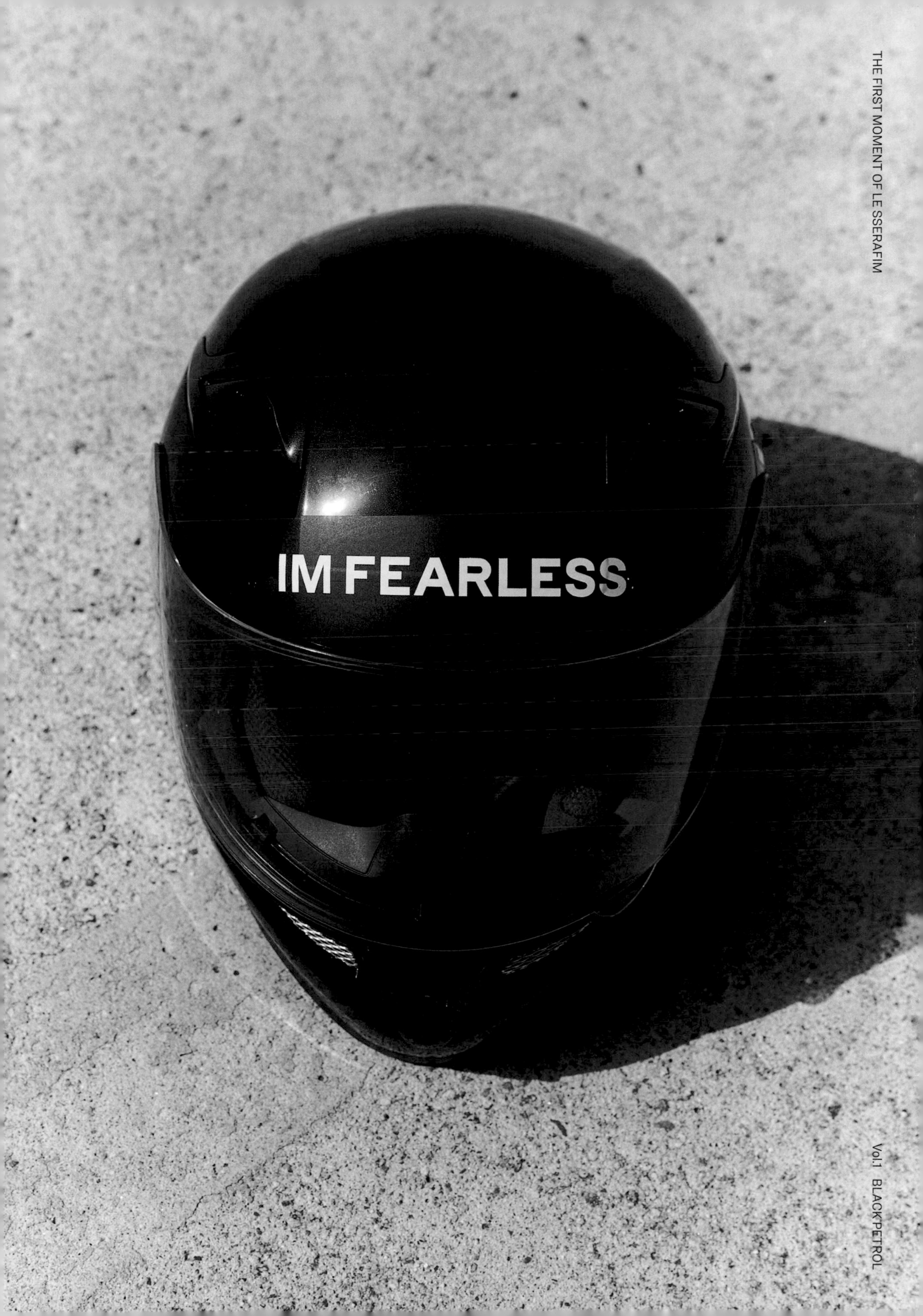

THE FIRST MOMENT OF LE SSERAFIM

Vol.1 BLACKPETROL

IM FEARLESS

HUH YUNJIN

LE SSERAFIM

HUH YUNJIN

LE SSERAFIM

IM FEARLESS

LE SSERAFIM

Sour Grapes

TRACK 05

IM FEARLESS

LE SSERAFIM

Produced by 13
(SCORE(13), Megatone(13), danke, ABIR, Kayofkaj, Nermin Harambasic (Dsign Music),
Lady V, 김인형, Sunshine (Cazzi Opeia & Ellen Berg))

Keyboard
SCORE(13)

Guitar
Megatone(13)

Bass
Megatone(13)

Drums
SCORE(13)

Background Vocal
김연서

Vocals Arrangement
SCORE(13), Megatone(13)

Digital Editing
SCORE(13), Megatone(13), 우민정

Recording Engineers
황민희 @ HYBE Studio, 이연수 @ HYBE Studio, 전부연 @ HYBE Studio

Mix Engineer
Yang Ga @ HYBE Studio

Oh 나도 모르게
달콤해 난 침이 고여 이건 사랑 맞아
널 한참 노려봐
내 손에 뚝 떨어지길 기다리고 있어

갖고 싶어 손쉽게 낭만적인 fairy tale
사다리를 오를 때 두 발아래 난 아찔해

허나 좀 더 길게 팔을 뻗어도
닿지 않아 뒤꿈치를 들어도
도무지가 손에 쥘 수 없는 love
Oh 이러다가 나만 다치겠어
Yeah you'll hurt me

푸릇 쌉싸름해 I don't wanna taste
뭐 그리 달콤하진 않을 것 같애
설익은 감정들이 I just feel afraid
I'll never bite
I'll never bite the pain

Sour 눈물 나게 시큼한 맛
Sour 그런 게 만약 사랑이면
맛보고 싶지 않아 I just feel afraid
Love is sour love is sour grapes

눈이 스치면
가끔씩은 맘 끝이 좀 떨리기도 했어
처음 느껴보는 heart
한 입 정도 깨문다면 어떨까도 했어

붉어지는 열매에 시선을 다 뺏긴 채
가지 끝에 달린 grapes 달달할까 상상해

허나 한 걸음씩 거릴 좁혀도
너의 손을 잡을 수는 없는걸
사다리 저 너머 위에 놓인 love
Oh 나만 괜히 상처받긴 싫어
Yeah you'll hurt me

푸릇 쌉싸름해 I don't wanna taste
뭐 그리 달콤하진 않을 것 같애
설익은 감정들이 I just feel afraid
I'll never bite I'll never bite the pain

Sour 눈물 나게 시큼한 맛
Sour 그런 게 만약 사랑이면
맛보고 싶지 않아 I just feel afraid
Love is sour love is sour grapes

착각은 마
딱히 널 좋아한 적 없으니까
조금도 아쉽지가 않다니까
내가 날 속여 all day all night

아직 어설프게 익지 않은 grapes
아마도 내겐 때가 아닌 것 같애
푸릇하게 아직 설익은 네 scent
I'm feeling scared
I'm feeling scared yeah

Sour 눈물 나게 시큼한 맛
Sour 그런 게 만약 사랑이면
맛보고 싶지 않아 I just feel afraid
Love is sour love is sour grapes

LE SSERAFIM

IM FEARLESS

KIM CHAEWON

LE SSERAFIM

KIM CHAEWON

LE SSERAFIM

IM FEARLESS

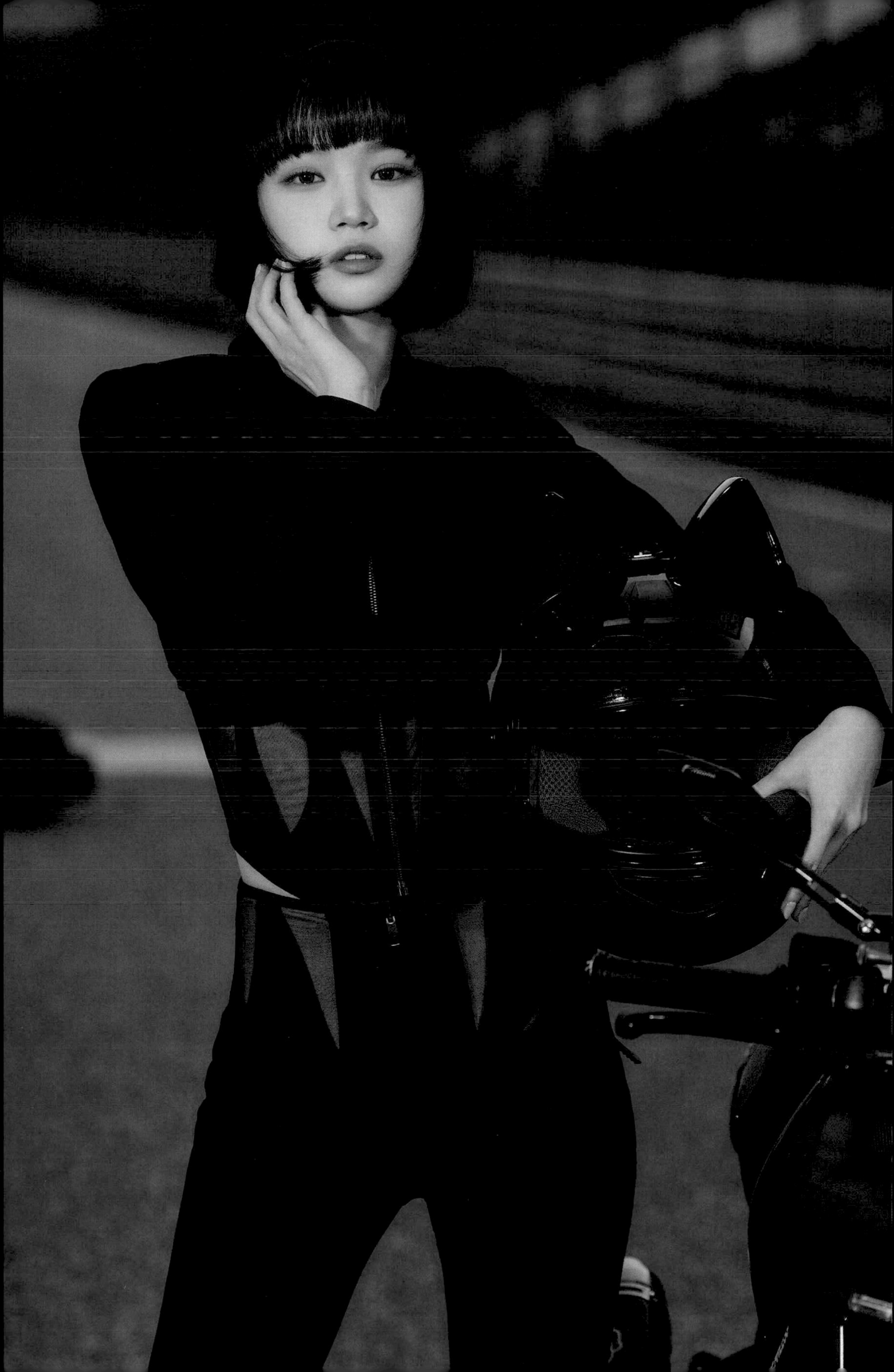

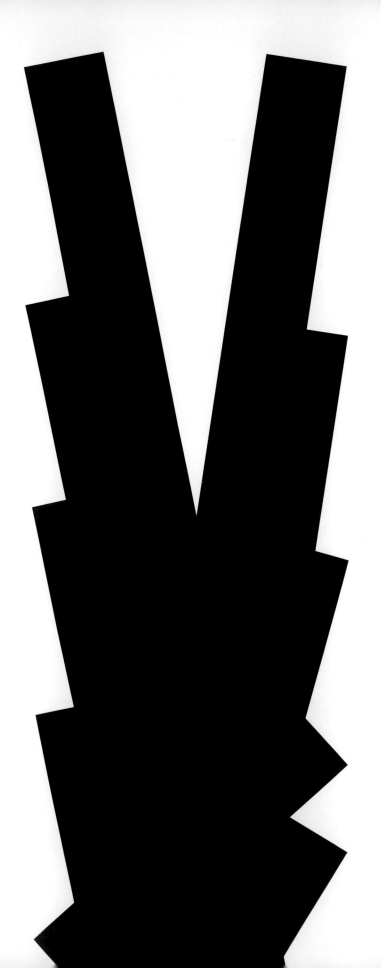

LE SSERAFIM

THANKS TO

SAKURA THANKS TO

안녕하세요 르세라핌의 사쿠라입니다.

우선 이 데뷔 앨범을 통해서 많은 도움을 주신 모든 여러분들께 감사의 말씀을 드립니다.
방시혁 PD님, 소성진 대표님, 13 PD님, 김성현 디렉터님 그리고 소연 퍼디님, 소영 퍼디님
포함한 모든 직원분들 항상 감사합니다!

모든 직원분들이 저희보다 저희를 더 많이 생각해 주시고 최선을 다해주시는 모습을 보고
너무 영광스럽고 저 자신도 최선을 다하려고 노력했습니다.
여러 번 감사드려도 다 표현하지 못할 만큼 정말 좋은 환경에서
아티스트로 활동할 수 있다는 것에 진심으로 감사합니다.

저에게 인생은 도전입니다.
지금의 저에게 만족을 느끼는 순간 거기서 성장은 멈추기에, 항상 새로운 것에 도전해 가는 것이
저의 삶의 보람이자 핵심이라고 생각합니다.

계속 도전하는 것은 때로는 힘들고 왜 나는 이렇게 살 수밖에 없을까라는 생각을 하기도 합니다.
좀 더 편한 삶이 있지 않을까라고.
하지만 그래도 저는 무대로 돌아왔습니다.
아이돌로 다시 처음부터 시작하는 걸 선택했습니다.

그건 팬분들이 있기 때문입니다.
아이돌이 하는 뻔한 말처럼 느껴질 수 있어요.
하지만, 저는 진심으로 그렇게 생각하고 있어요.

무대에 서서 팬 여러분들 앞에서 퍼포먼스를 하는 그 순간은 어떤 힘든 기억도,
힘든 감정도 잊혀질 수 있을 만큼 저한테는 인생에서 제일 소중한 시간입니다.

이 앨범을 준비하는 기간 동안 이런 걸 느꼈어요.

시간은 내 편이다.

시간은 누구에게나 평등하고 끊임없이 흘러갑니다. 힘들어서 도망가고 싶을 때도,
눈물이 멈추지 않는 새벽에도, 즐거워서 시간이 멈췄으면 좋겠다 하는 그 순간도.
그래서 뒤돌아보면 모든 시간이 그립고 추억으로 변해가는 것이라고 생각합니다.

앞으로 르세라핌으로서 걸어가는 시간이 무엇보다 소중하고 행복한 시간이 되길 바랍니다.

멤버들, 팬 여러분들 그리고 모든 직원분들과 함께 걸어가는 길이 밝게 빛나고,
무엇보다 행복했으면 좋겠습니다.

항상 감사하고 사랑합니다.

KIM CHAEWON THANKS TO

안녕하세요! 르세라핌 김채원입니다.

드디어 저희 팀의 첫 데뷔 앨범이 나왔습니다!
데뷔를 준비하면서 새롭게 느낀 점도 많고 저에게 큰 변화의 시간이었던 것 같아요.
그래서인지 이 데뷔 앨범이 저에게는 뜻깊은 것 같아요.
새로운 시작인 만큼 더 발전된 모습 보여드리려고 노력을 많이 했는데 그 과정 속에서 어떻게 하면
좀 더 발전된 모습을 보여드릴 수 있을까 함께 고민해 주시고 도와주신 분들이 너무 많이 계셔서
든든하고 너무 감사했습니다.

그중에서도 저희 르세라핌이 멋지게 데뷔할 수 있게 도와주시고, 항상 신경 써주셨던 방시혁 피디님,
소성진 대표님 너무너무 감사드립니다.
그리고 저희의 모든 콘셉트와 비주얼이 빛날 수 있게 신경 써주시는 VC팀도 너무 감사드려요.
또 저희 곁에서 항상 누구보다 잘 챙겨주시는 형은님, 의전팀을 포함한
모든 쏘스뮤직 회사 식구분들 너무 감사드립니다.
데뷔를 준비하면서 감사한 분들이 너무 많아서 어떻게 보답을 해드려야 할지 모르겠네요.
저희를 위해 힘써주시는 분들이 너무 많다는 걸 느껴서 앞으로도 열심히 하는 모습 보여드리고 싶어요.
좋은 모습 많이 보여드릴 테니 기대 많이 해주시고 많은 관심 부탁드립니다!

그리고 무엇보다 우리 팬분들! 오랫동안 기다려주셔서 고맙고 미안해요.
연습하는 동안 저는 여러분들 생각으로 버텼던 것 같아요.
여러분들의 존재가 생각보다 더 크더라구요. 정말 고마워요.
항상 저의 원동력과 힘의 근원으로 계셔주셔서 감사하고 저도 여러분들에게
그런 존재가 되기 위해서 노력할게요.

앞으로 저희 6명 르세라핌 모두 기대 많이 해주시고 사랑해 주세요!
감사합니다!

HUH YUNJIN THANKS TO

누군가 허락하는 범위 내에서만 앞으로 나아갈 수 있다는 말을 들은 적이 있어요.
반대편에서 누군가가 나를 위해 기회의 문을 닫거나 열어줄 때지요.

저는 그동안 열린 문, 닫힌 문, 아예 잠겨버린 문 그리고 아슬아슬할 정도로 열린 문을 경험하면서
한동안 제가 노크하는 문 뒤에는 언제나 아무도 없는 것 같았어요.
하지만 그럼에도 불구하고 원래 내가 가야 할 길, 가고자 했던 길을 가고 있었다는 것을
억지로라도 믿으려고 했고 마침내 저에게 문을 열어 그것을 보이게 해준 것은 르세라핌이에요.

오늘 저는 저희의 꿈을 이룰 수 있게 고생해 주신 모든 분들께 진심으로
감사하다는 말씀을 드리고 싶습니다.

우선 방시혁 PD님, 소성진 대표님께 감사하다는 말씀을 먼저 드리고 싶습니다.
저희 팀, 그리고 아직 부족한 저를 믿어주시고 저희가 이렇게 만날 수 있게 해주시고
프로듀싱을 해주셔서 감사합니다.

그리고 르세라핌의 색깔과 정체성이 저희 팀의 아주 크고 특별한 강점이라고 생각하는데요,
그만큼 많은 분들의 고생 덕분에 만들어질 수 있었다는 점에서 도와주신 모든 분들에게 정말
감사하다는 말씀 꼭 전하고 싶습니다.

저희의 색깔을 매번 감격스러운 비주얼과 브랜딩으로 연출해 주시는 VC팀,
저희의 생각과 의견을 진심으로 들어주시고 저희 팀이 전하고자 하는 메시지에 생기를 불어넣어주신
스토리텔링 팀과 IP개발랩,
정말 멋진 안무를 창작해 주시고 저희가 잘 표현할 수 있도록 고생해 주시는 퍼포먼스팀,
대단한 음반을 프로듀싱해 주시는 그리고 개인적으로는 제 음악에 대한 사랑을 다시 불러일으킬 수
있게 해주신 13 PD님, A&R팀, 사운드랩 팀께 감사드립니다.
또 저희를 위해 늘 신경 써주시고 우선으로 생각해 주시는 매니지먼트팀과 의전팀, 마케팅팀,
사업실을 포함한 모든 쏘스뮤직 직원분들,
그리고 아직 너무 부족한 저를 무대 위에서만큼은 더 빛날 수 있게 도와주시고 자신감을 올려주시는
스타일링팀과 빗앤붓 헤어 메이크업 스태프분들께 감사드립니다.

비롯해 르세라핌이 탄생할 수 있도록 도와주시고 고생하신 모든 분들께 정말 정말 감사드립니다.

그리고 저희를 응원해 주신 팬분들!
저는 제게 사랑과 응원을 보내주는 팬이 한 분이라도 계신다는 것만으로 너무 감사하고 가슴이
너무 벅찬데 4년이라는 오랜 시간 동안 제가 보이지 않아도 저를 잊지 않고 기다려주신 분들께
정말 감사하고 미안하고 보고 싶었다는 말씀드리고 싶습니다.
제가 예전에 오래 걸리고 길을 잃어도 다시 뵐 수 있게 꼭 노력하겠다는 말을 했었는데
그 약속을 지킬 수 있어서 너무 행복합니다.

1년 전까지만 해도 제 앞에는 잠긴 문만 있을 뿐이라 생각했던 제게 문을 열어주셔서 감사드리고
앞으로는 르세라핌 허윤진으로 더욱더 노력해서 꼭 좋은 모습으로 보답할 수 있도록 하겠습니다.
저의 새로운 그러나 왠지 이미 너무나 친숙한 르세라핌 식구와 함께
저의 새로운 시작을 떠나게 되어 너무 기대됩니다.

잘 부탁드립니다.